EL SON ENTERO

NICOLÁS GUILLÉN

EL SON ENTERO

VISOR LIBROS

Volumen 20 de la Serie **De Viva Voz**

© VISOR LIBROS
 Isaac Peral, 18 - 28015 Madrid
 www.visor-libros.com

 ISBN: 978-84-7522-684-2
 Depósito Legal: M-12217-2008

 Impreso en España - *Printed in Spain*
 Huertas. C/ Antonio Gaudí, 21. Fuenlabrada (Madrid)

Nicolás Guillén en La Habana.

GUITARRA

A Francisco Guillén

Tendida en la madrugada,
la firme guitarra espera:
voz de profunda madera
desesperada.

Su clamorosa cintura,
en la que el pueblo suspira,
preñada de son, estira
la carne dura.

Arde la guitarra sola,
mientras la luna se acaba;

arde libre de su esclava
bata de cola.

Dejó al borracho en su coche,
dejó el cabaret sombrío,
donde se muere de frío,
noche tras noche,

y alzó la cabeza fina,
universal y cubana,
sin opio, ni mariguana,
ni cocaína.

¡Venga la guitarra vieja,
nueva otra vez al castigo
con que la espera el amigo,
que no la deja!

Alta siempre, no caída,
traiga su risa y su llanto,
clave las uñas de amianto
sobre la vida.

Cógela tú, guitarrero,
límpiale de alcol la boca,
y en esa guitarra, toca
tu son entero.

El son del querer maduro,
tu son entero;
el del abierto futuro,
tu son entero;
el del pie por sobre el muro,
tu son entero...

Cógela tú, guitarrero,
limpiale de alcol la boca,
y en esa guitarra, toca
tu son entero.

MI PATRIA ES DULCE POR FUERA...

Mi patria es dulce por fuera,
y muy amarga por dentro;
mi patria es dulce por fuera,
con su verde primavera,
con su verde primavera,
y un sol de hiel en el centro.

¡Qué cielo de azul callado
mira impasible tu duelo!
¡Qué cielo de azul callado,
ay, Cuba, el que Dios te ha dado,
ay, Cuba, el que Dios te ha dado,
con ser tan azul tu cielo!

Un pájaro de madera
me trajo en su pico el canto;
un pájaro de madera.
¡Ay, Cuba, si te dijera,
yo, que te conozco tanto,
ay, Cuba, si te dijera,
que es de sangre tu palmera,
que es de sangre tu palmera,
y que tu mar es de llanto!
Bajo tu risa ligera,
yo, que te conozco tanto,
miro la sangre y el llanto,
bajo tu risa ligera.

Sangre y llanto
bajo tu risa ligera;
sangre y llanto
bajo tu risa ligera.
Sangre y llanto.

El hombre de tierra adentro
está en un hoyo metido,
muerto sin haber nacido,
el hombre de tierra adentro.
Y el hombre de la ciudad,
ay, Cuba, es un pordiosero:
anda hambriento y sin dinero,
pidiendo por caridad,
aunque se ponga sombrero
y baile en la sociedad.
(Lo digo en mi son entero,
porque es la pura verdad.)

Hoy yanqui, ayer española,
sí, señor,
la tierra que nos tocó,
siempre el pobre la encontró
si hoy yanqui, ayer española,

¡cómo no!
¡Qué sola la tierra sola,
la tierra que nos tocó!

La mano que no se afloja
hay que estrecharla en seguida;
la mano que no se afloja,
china, negra, blanca o roja,
china, negra, blanca o roja,
con nuestra mano tendida.

Un marino americano,
bien,
en el restaurant del puerto,
bien,
un marino americano
me quiso dar con la mano,
me quiso dar con la mano,

pero allí se quedó muerto,
bien,
pero allí se quedó muerto
bien,
pero allí se quedó muerto
el marino americano
que en el restaurant del puerto
me quiso dar con la mano,
¡bien!

EL ABUELO

Esta mujer angélica de ojos septentrionales,
que vive atenta al ritmo de su sangre europea,
ignora que en lo hondo de ese ritmo golpea
un negro el parche duro de roncos atabales.

Bajo la línea escueta de su nariz aguda,
la boca, en fino trazo, traza una raya breve,
y no hay cuervo que manche la geografía de nieve
de su carne, que fulge temblorosa y desnuda.

¡Ah, mi señora! Mírate las venas misteriosas;
boga en el agua viva que allá dentro te fluye,
y ve pasando lírios, nelumbios, lotos, rosas;

que ya verás, inquieta, junto a la fresca orilla,
la dulce sombra oscura del abuelo que huye,
el que rizó por siempre tu cabeza amarilla.

CAMINANDO

Caminando, caminando,
¡caminando!

Voy sin rumbo caminando,
caminando;
voy sin plata caminando,
caminando;
voy muy triste caminando,
caminando.

Está lejos quien me busca,
caminando;
quien me espera está más lejos,

caminando;
y ya empeñé mi guitarra,
caminando.

Ay,
las piernas se ponen duras,
caminando;
los ojos ven desde lejos,
caminando;
la mano agarra y no suelta,
caminando.

Al que yo coja y lo apriete,
caminando,
ése la paga por todos,
caminando;
a ése le parto el pescuezo,
caminando,

y aunque me pida perdón,
me lo como y me lo bebo,
me lo bebo y me lo como,
caminando,
caminando,
caminando…

*Nicolás Guillén con
Omara Portuondo.*

SENSEMAYÁ
Canto para matar a una culebra

¡Mayombe—bombe—mayombé!
¡Mayombe—bombe—mayombé!
¡Mayombe—bombe—mayombé!

La culebra tiene los ojos de vidrio;
la culebra viene y se enreda en un palo;
con sus ojos de vidrio, en un palo,
con sus ojos de vidrio.

La culebra camina sin patas;
la culebra se esconde en la yerba;
caminando se esconde en la yerba,
caminando sin patas.

¡Mayombe—bombe—mayombé!
¡Mayombe—bombe—mayombé!
¡Mayombe—bombe—mayombé!

Tú le das con el hacha y se muere:
¡dale ya!
¡No le des con el pie, que te muerde,
no le des con el pie, que se va!

Sensemayá, la culebra,
sensemayá.
Sensemeyá, con sus ojos,
sensemayá.
Sensemayá, con su lengua,
sensemayá.
Sensemayá, con su boca,
sensemayá.

La culebra muerta no puede comer,
la culebra muerta no puede silbar,
no puede caminar,
no puede correr.
La culebra muerta no puede mirar,
la culebra muerta no puede beber,
no puede respirar,
no puede morder.

¡Mayombe—bombe—mayombé!
Sensemayá, la culebra...
¡Mayombe—bombe—mayombé!
Sensemayá, no se mueve...

¡Mayombe—bombe—mayombé!
Sensemayá, la culebra...
¡Mayombe—bombe—mayombé!
Sensemayá, se murió.

SON NÚMERO 6

Yoruba soy, lloro en yoruba
lucumí.
Como soy un yoruba de Cuba,
quiero que hasta Cuba suba mi llanto yoruba,
que suba el alegre llanto yoruba
que sale de mí.

Yoruba soy,
cantando voy,
llorando estoy,
y cuando no soy yoruba,
soy congo, mandinga, carabalí.
Atiendan, amigos, mi son, que empieza así:

Adivinanza
de la esperanza:
lo mío es tuyo,
lo tuyo es mío;
toda la sangre
formando un río.

La ceiba ceiba con su penacho;
el padre padre con su muchacho;
la jicotea en su carapacho.
¡Que rompa el son caliente,
y que lo baile la gente,
pecho con pecho,
vaso con vaso
y agua con agua con aguardiente!
Yoruba soy, soy lucumí,
mandinga, congo, carabalí.
Atiendan, amigos, mi son, que sigue así:

Estamos juntos desde muy lejos,
jóvenes, viejos,
negros y blancos, todo mezclado;
uno mandando y otro mandado,
todo mezclado;
San Berenito y otro mandado
todo mezclado;
negros y blancos desde muy lejos,
todo mezclado;
Santa María y uno mandado,
todo mezclado:
todo mezclado, Santa María,
San Berenito, todo mezclado,
todo mezclado, San Berenito,
San Berenito, Santa María,
Santa María, San Berenito,
¡todo mezclado!

Yoruba soy, soy lucumí,
mandinga, congo, carabalí.
Atiendan, amigos, mi son, que acaba así:

> Salga el mulato,
> suelte el zapato,
> díganle al blanco que no se va…

De aquí no hay nadie que se separe;
mire y no pare,
oiga y no pare,
beba y no pare,
coma y no pare,
viva y no pare,
¡que el son de todos no va a parar!

UNA CANCIÓN EN EL MAGDALENA

(COLOMBIA)

Sobre el duro Magdalena,
largo proyecto de mar,
islas de pluma y arena
graznan a la luz solar.
                    Y el boga, boga.

El boga, boga
preso en su aguda piragua,
y el remo, rema; interroga
al agua.
                    Y el boga, boga.

Verde negro, y verde verde,
la selva elástica y densa,
ondula, sueña, se pierde,
camina y piensa.
               Y el boga, boga.

¡Puertos
de oscuros brazos abiertos!
Niños de vientre abultado
y ojos despiertos.
Hambre. Petróleo. Ganado…
               Y el boga, boga.

Va la gaviota esquemática,
con ala breve y sintética,
volando apática…
Blanca, la garza esquelética.
               Y el boga, boga.

Sol de aceite. Un mico duda
si saluda o no saluda
desde su palo, en la alta
mata donde chilla y salta
y suda…
                    Y el boga, boga.

¡Ay, qué lejos Barranquilla!
Vela el caimán a la orilla
del agua, la boca abierta.
Desde el pez, la escama brilla.
Pasa una vaca amarilla
muerta.
                    Y el boga, boga.

El boga, boga,
sentado,
boga.

El boga, boga,
callado,
boga.

El boga, boga,
cansado,
boga…

El boga, boga,
preso en su aguda piragua,
y el remo, rema: interroga
al agua.

[ME MATAN, SI NO TRABAJO...]

—Me matan, si no trabajo,
y si trabajo, me matan;
siempre me matan, me matan,
siempre me matan.

Ayer vi a un hombre mirando,
mirando el sol que salía;
ayer vi a un hombre mirando,
mirando el sol que salía:
el hombre estaba muy serio,
porque el hombre no veía.
Ay,
los ciegos viven sin ver
cuando sale el sol,

cuando sale el sol,
¡cuando sale el sol!

Ayer vi a un niño jugando
a que mataba a otro niño;
ayer vi a un niño jugando
a que mataba a otro niño:
hay niños que se parecen
a los hombres trabajando.
¡Quién les dirá cuando crezcan
que los hombres no son niños,
que no lo son,
que no lo son,
que no lo son!

Me matan, si no trabajo,
y si trabajo, me matan:
siempre me matan, me matan,
¡siempre me matan!

ELEGÍA

Por el camino de la mar
vino el pirata,
mensajero del Espíritu Malo,
con su cara de un solo mirar
y con su monótona pata
de palo.
Por el camino de la mar.

Hay que aprender a recordar
lo que las nubes no pueden olvidar.

Por el camino de la mar,
con el jazmín y con el toro,

y con la harina y con el hierro,
el negro, para fabricar
el oro;
para llorar en su destierro
por el camino de la mar.

¿Cómo vais a olvidar
lo que las nubes aún pueden recordar?

Por el camino de la mar,
el pergamino de la ley,
la vara para malmedir,
y el látigo de castigar,
y la sífilis del virrey,
la muerte, para dormir
sin despertar,
por el camino de la mar.

¡Duro recuerdo recordar
lo que las nubes no pueden olvidar
por el camino de la mar!

Nicolás Guillén con Rafael Alberti.

PALMA SOLA

La palma que está en el patio
nació sola;
creció sin que yo la viera,
creció sola;
bajo la luna y el sol,
vive sola.

Con su largo cuerpo fijo,
palma sola;
sola en el patio sellado,
siempre sola,
guardián del atardecer,
sueña sola.

La palma sola soñando,
palma sola,
que va libre por el viento,
libre y sola,
suelta de raíz y tierra,
suelta y sola;
cazadora de las nubes,
palma sola,
palma sola,
palma.

ÁCANA

Allá dentro, en el monte,
donde la luz acaba,
allá en el monte adentro,
ácana.

Ay, ácana con ácana,
con ácana;
ay, ácana con ácana.
El horcón de mi casa.

Allá dentro, en el monte,
ácana,
bastón de mis caminos,
allá en el monte adentro...

Ay, ácana con ácana
con ácana;
ay, ácana con ácana.

Allá dentro, en el monte,
donde la luz acaba,
tabla de mi sarcófago,
allá en el monte adentro…

Ay, ácana con ácana,
con ácana;
ay, ácana con ácana…
Con ácana.

[LA SANGRE ES UN MAR INMENSO...]

La sangre es un mar inmenso
que baña todas las playas...
Sobre sangre van los hombres,
navegando en sus barcazas:
reman, que reman, que reman,
¡nunca de remar descansan!
Al negro de negra piel
la sangre el cuerpo le baña:
la misma sangre, corriendo,
hierve bajo carne blanca.
¿Quién vio la carne amarilla,
cuando las venas estallan,
sangrar sino con la roja

sangre con que todos sangran?
¡Ay del que separa niños,
porque a los hombres separa!
El sol sale cada día,
va tocando en cada casa,
da un golpe con su bastón,
y suelta una carcajada...

¡Que salga la vida al sol,
de donde tantos la guardan,
y veréis como la vida
corre de sol empapada!
La vida vida saltando,
la vida suelta y sin vallas,
vida de la carne negra,
vida de la carne blanca,
y de la carne amarilla,
con sus sangres desplegadas...

Sobre sangre van los hombres
navegando en sus barcazas:
reman, que reman, que reman,
¡nunca de remar descansan!
¡Ay de quien no tenga sangre,
porque de remar acaba,
y si acaba de remar,
da con su cuerpo en la playa,
un cuerpo seco y vacío,
un cuerpo roto y sin alma,
un cuerpo roto y sin alma!…

AGUA DEL RECUERDO

¿Cuándo fue?
No lo sé.
Agua del recuerdo
voy a navegar.

Pasó una mulata de oro,
y yo la miré al pasar:
moño de seda en la nuca,
bata de cristal,
niña de espalda reciente,
tacón de reciente andar.

Caña
(febril le dije en mí mismo),

caña
temblando sobre el abismo,
¿quién te empujará?
¿Qué cortador con su mocha
te cortará?
¿Qué ingenio con su trapiche
te molerá?

El tiempo corrió después,
corrió el tiempo sin cesar,
yo para allá, para aquí,
yo para aquí, para allá,
para allá, para aquí,
para aquí, para allá…

Nada sé, nada se sabe,
ni nada sabré jamás,
nada han dicho los periódicos,

nada pude averiguar,
de aquella mulata de oro
que una vez miré al pasar,
moño de seda en la nuca,
bata de cristal,
niña de espalda reciente,
tacón de reciente andar.

Nicolás Guillén con Alicia Alonso.

JOSÉ RAMÓN CANTALISO

José Ramón Cantaliso,
canta liso, canta liso
José Ramón.
Duro espinazo insumiso:
por eso es que canta liso
José Ramón Cantaliso,
José Ramón.

En bares, hachas, bachatas,
a los turistas a gatas
y a los nativos también,
a todos, el son preciso
José Ramón Cantaliso

les canta liso, muy liso,
para que lo entiendan bien.

Voz de cancerosa entraña,
humo de solar y caña,
que es nube prieta después:
son de guitarra madura,
cuya cuerda ronca y dura
no se enreda en la cintura,
ni prende fuego en los pies.

Él sabe que no hay trabajo,
que el pobre se pudre abajo,
y que tras tanto luchar,
el que no perdió el resuello,
o tiene en la frente un sello,
o está con el agua al cuello,
sin poderlo remediar.

Por eso de fiesta en fiesta,
con su guitarra protesta,
que es su corazón también,
y a todos el son preciso,
José Ramón Cantaliso
les canta liso, muy liso,
para que lo entiendan bien.

*Nicolás Guillén con
Pablo Neruda.*

NO SÉ POR QUÉ PIENSAS TÚ…

No sé por qué piensas tú,
soldado, que te odio yo,
si somos la misma cosa
yo,
tú.

Tú eres pobre, lo soy yo;
soy de abajo, lo eres tú;
¿de dónde has sacado tú,
soldado, que te odio yo?

Me duele que a veces tú
te olvides de quién soy yo;

caramba, si yo soy tú,
lo mismo que tú eres yo.

Pero no por eso yo
he de malquererte, tú;
si somos la misma cosa,
yo,
tú,
no sé por qué piensas tú,
soldado, que te odio yo.

Ya nos veremos yo y tú,
juntos en la misma calle,
hombro con hombro, tú y yo,
sin odios ni yo ni tú,
pero sabiendo tú y yo,
a dónde vamos yo y tú...
¡No sé por qué piensas tú,
soldado, que te odio yo!

ARTE POÉTICA

Conozco la azul laguna
y el cielo doblado en ella.
Y el resplandor de la estrella.
Y la luna.

En mi chaqueta de abril
prendí una azucena viva,
y besé la sensitiva
con labios de toronjil.

Un pájaro principal
me enseñó el múltiple trino.
Mi vaso apuré de vino.
Sólo me queda el cristal.

¿Y el plomo que zumba y mata?
¿Y el largo encierro?
¡Duro mar y olas de hierro,
no luna y plata!

El cañaveral sombrío
tiene voraz dentadura,
v sabe el astro en su altura
de hambre y frío.

Se alza el foete mayoral.
Espaldas hiere y desgarra.
Ve y con tu guitarra
dilo al rosal.

Dile también del fulgor
con que un nuevo sol parece:
en el aire que la mece
que aplauda y grite la flor.

UN LARGO LAGARTO VERDE

Por el Mar de las Antillas
(que también Caribe llaman)
batida por olas duras
y ornada de espumas blandas,
bajo el sol que la persigue
y el viento que la rechaza,
cantando a lágrima viva
navega Cuba en su mapa:
un largo lagarto verde,
con ojos de piedra y agua.

Alta corona de azúcar
le tejen agudas cañas;

no por coronada libre,
sí de su corona esclava:
reina del manto hacia fuera,
del manto adentro, vasalla,
triste como la más triste
navega Cuba en su mapa:
un largo lagarto verde,
con ojos de piedra y agua.

Junto a la orilla del mar,
tú que estás en fija guardia,
fíjate, guardián marino,
en la punta de las lanzas
y en el trueno de las olas
y en el grito de las llamas
y en el lagarto despierto
sacar las uñas del mapa:
un largo lagarto verde,
con ojos de piedra y agua.

CANCIÓN DE CUNA PARA DESPERTAR A UN NEGRITO

Dórmiti, mi nengre,
mi nengre bonito...
E. BALLAGAS

Una paloma
cantando pasa:
—¡Upa, mi negro,
que el sol abrasa!
Ya nadie duerme,
ni está en su casa;
ni el cocodrilo,
ni la yaguaza,
ni la culebra,
ni la torcaza...

Coco, cacao,
cacho, cachaza,
¡upa, mi negro,
que el sol abrasa!

Negrazo, venga
con su negraza.
¡Aire con aire,
que el sol abrasa!
Mire la gente,
llamando pasa;
gente en la calle,
gente en la plaza;
ya nadie queda
que esté en su casa...
Coco, cacao,
cacho, cachaza,
¡upa, mi negro,
que el sol abrasa!

Negrón, negrito,
ciruela y pasa,
salga y despierte,
que el sol abrasa,
diga despierto
lo que le pasa...
¡Que muera el amo,
muera en la brasa!
Y a nadie duerme,
ni está en su casa:
¡coco, cacao,
cacho, cachaza,
upa, mi negro,
que el sol abrasa!

LA MURALLA

Para hacer esta muralla,
tráiganme todas las manos:
los negros, sus manos negras,
los blancos, sus blancas manos.

Ay,
una muralla que vaya
desde la playa hasta el monte,
desde el monte hasta la playa, bien,
allá sobre el horizonte.

—¡Tun, tun!
—¿Quién es?

—Una rosa y un clavel…
—¡Abre la muralla!
—¡Tun, tun!
—¿Quién es?
—El sable del coronel…
—¡Cierra la muralla!
—¡Tun, tun!
—¿Quién es?
—La paloma y el laurel…
—¡Abre la muralla!
—¡Tun, tun!
—¿Quién es?
—El alacrán y el ciempiés…
—¡Cierra la muralla!

Al corazón del amigo,
abre la muralla;
al veneno y al puñal,

cierra la muralla;
al mirto y la yerbabuena,
abre la muralla;
al diente de la serpiente,
cierra la muralla;
al ruiseñor en la flor,
abre la muralla…

Alcemos una muralla
juntando todas las manos;
los negros, sus manos negras,
los blancos, sus blancas manos.
Una muralla que vaya
desde la playa hasta el monte,
desde el monte hasta la playa,
allá sobre el horizonte…

CHILE

Chile: una rosa de hierro,
fija y ardiente en el pecho
de una mujer de ojos negros.
                    —Tu rosa quiero.
            (De Antofagasta vengo,
            voy para Iquique;
            tan sólo una mirada
            me ha puesto triste.)

Chile: el salitral violento.
La pampa de puño seco.
Una bandera de fuego.
                    —Tu pampa quiero.

(Anduve caminando
sobre el salitre;
la Muerte me miraba,
yo estaba triste.)

Chile: tu verde silencio.
Tu pie sur en un estrecho
zapato de espuma y viento.
            —Tu viento quiero.
         (El ovejero ladra,
         la tropa sigue;
         la oveja mira al perro
         con ojos tristes.)

Chile: tu blanco lucero.
Tu largo grito de hielo.
Tu cueca de polvo pueblo.
            —Tu pueblo quiero.

*(En la cresta de un monte
la luna gime;
agua y nieve le lavan
la frente triste.)*

*Nicolás Guillén
con Ignacio
Villa (Bola
de Nieve).*

ELEGÍA A JESÚS MENÉNDEZ

I

> *…armado*
> *más de calor que de acero.*
> GÓNGORA

Yo bien conozco a un soldado,
compañero de Jesús,
que al pie de Jesús lloraba
y los ojos se secaba
con un pañolón azul.
Después este son cantaba:

Pasó una paloma herida,
volando cerca de mí;
roja le brillaba un ala,
que yo la vi.

Ay, mi amigo,
he andado siempre contigo:
tú ya sabes quién tiró,
Jesús, que no he sido yo.
En tu pulmón enterrado
alguien un plomo dejó,
pero no fue este soldado,
pero no fue este soldado,
Jesús,
¡por Jesús que no fui yo!

Pasó una paloma herida,
volando cerca de mí;

rojo le brillaba el pico,
que yo la vi.

Nunca quiera
contar si en mi cartuchera
todas las balas están:
nunca quiera, capitán.
Pues faltarán de seguro
(de seguro faltarán)
las balas que a un pecho puro,
las balas que a un pecho puro,
mi flor,
por odio a clavarse van.

Pasó una paloma herida,
volando cerca de mí;
rojo le brillaba el cuello,
que yo la vi.

¡Ay, qué triste
saber que el verdugo existe!
Pero es más triste saber
que mata para comer.
Pues que tendrá la comida
(todo puede suceder)
un gusto a sangre caída,
un gusto a sangre caída,
caramba,
y a lágrima de mujer.

Pasó una paloma herida,
volando cerca de mí;
rojo le brillaba el pecho,
que yo la vi.

Un sinsonte
perdido murió en el monte,

y vi una vez naufragar
un barco en medio del mar.
Por el sinsonte perdido
ay, otro vino a cantar
y en vez de aquel barco hundido,
y en vez de aquel barco hundido,
mi bien,
otro salió a navegar.

Pasó una paloma herida,
volando cerca de mí;
iba volando, volando,
volando, que yo la vi.

EL APELLIDO

Elegía familiar

I

Desde la escuela
y aún antes... Desde el alba, cuando apenas
era una brizna yo de sueño y llanto,
desde entonces,
me dijeron mi nombre. Un santo y seña
para poder hablar con las estrellas.
Tú te llamas, te llamarás...
Y luego me entregaron
esto que veis escrito en mi tarjeta,
esto que pongo al pie de mis poemas:

catorce letras
que llevo a cuestas por la calle,
que siempre van conmigo a todas partes.
¿Es mi nombre, estáis ciertos?
¿Tenéis todas mis señas?
¿Ya conocéis mi sangre navegable,
mi geografía llena de oscuros montes,
de hondos y amargos valles
que no están en los mapas?
¿Acaso visitasteis mis abismos,
mis galerías subterráneas
con grandes piedras húmedas,
islas sobresaliendo en negras charcas
y donde un puro chorro
siento de antiguas aguas
caer desde mi alto corazón
con fresco y hondo estrépito
en un lugar lleno de ardientes árboles,

monos equilibristas,
loros legisladores y culebras?
¿Toda mi piel (debí decir),
toda mi piel viene de aquella estatua
de mármol español? ¿También mi voz de espanto,
el duro grito de mi garganta? ¿Vienen de allá
todos mis huesos? ¿Mis raíces y las raíces
de mis raíces y además
estas ramas oscuras movidas por los sueños
y estas flores abiertas en mi frente
y esta savia que amarga mi corteza?
¿Estáis seguros?
¿No hay nada más que eso que habéis escrito,
que eso que habéis sellado
con un sello de cólera?
(¡Oh, debí haber preguntado!)

Y bien, ahora os pregunto:
¿No veis estos tambores en mis ojos?

¿No veis estos tambores tensos y golpeados
con dos lágrimas secas?
¿No tengo acaso
un abuelo nocturno
con una gran marca negra
(más negra todavía que la piel),
una gran marca hecha de un latigazo?
¿No tengo pues
un abuelo mandinga, congo, dahomeyano?
¿Cómo se llama? ¡Oh, sí, decídmelo!
¿Andrés? ¿Francisco? ¿Amable?
¿Cómo decís Andrés en congo?
¿Cómo habéis dicho siempre
Francisco en dahomeyano?
En mandinga ¿cómo se dice Amable?
¿O no? ¿Eran, pues, otros nombres?
¡El apellido, entonces!
¿Sabéis mi otro apellido, el que me viene

de aquella tierra enorme, el apellido
sangriento y capturado, que pasó sobre el mar
entre cadenas, que pasó entre cadenas sobre el mar?
¡Ah, no podéis recordarlo!
Lo habéis disuelto en tinta inmemorial.
Lo habéis robado a un pobre negro indefenso.
Lo escondisteis, creyendo
que iba a bajar los ojos yo de la vergüenza.
¡Gracias!
¡Os lo agradezco!
¡Gentiles gentes, thank you!
Merci!
Merci bien!
Merci beaucoup!
Pero no… ¿Podéis creerlo? No.
Yo estoy limpio.
Brilla mi voz como un metal recién pulido.
Mirad mi escudo: tiene un baobab,

tiene un rinoceronte y una lanza.
Yo soy también el nieto,
biznieto,
tataranieto de un esclavo.
(Que se avergüence el amo.)
¿Seré Yelofe?
¿Nicolás Yelofe, acaso?
¿O Nicolás Bakongo?
¿Tal vez Guillén Banguila?
¿O Kumbá?
¿Quizá Guillén Kumbá?
¿O Kongué?
¿Pudiera ser Guillén Kongué?
¡Oh, quién lo sabe!
¡Qué enigma entre las aguas!

II

Siento la noche inmensa gravitar
sobre profundas bestias,
sobre inocentes almas castigadas;
pero también sobre voces en punta,
que despojan al cielo de sus soles,
los más duros,
para condecorar la sangre combatiente.
De algún país ardiente, perforado
por la gran flecha ecuatorial,
sé que vendrán lejanos primos,
remota angustia mía disparada en el viento;
sé que vendrán pedazos de mis venas,
sangre remota mía,
con duro pie aplastando las hierbas asustadas;
sé que vendrán hombres de vidas verdes,
remota selva mía,

con su dolor abierto en cruz y el pecho rojo en llamas.
Sin conocernos nos reconoceremos en el hambre,
en la tuberculosis y en la sífilis,
en el sudor comprado en bolsa negra,
en los fragmentos de cadenas
adheridos todavía a la piel:
sin conocernos nos reconoceremos
en los ojos cargados de sueños
y hasta en los insultos como piedras
que nos escupen cada día
los cuadrumanos de la tinta y el papel.
¿Qué ha de importar entonces
(y qué ha de importar ahora!)
¡ay! mi pequeño nombre
de trece letras blancas?
¿Ni el mandinga, bantú,
yoruba, dahomeyano
nombre del triste abuelo ahogado

en tinta de notario?
¿Qué importa, amigos puros?
¡Oh, sí, puros amigos,
venid a ver mi nombre!
Mi nombre interminable,
hecho de interminables nombres;
el nombre mío, ajeno,
libre y mío, ajeno y vuestro,
ajeno y libre como el aire.

ELEGÍA CUBANA

> CUBA, isla de América Central, la mayor
> de las Antillas, situada a la entrada
> del Golfo de México...
>
> *Larousse Ilustrado*

Cuba, palmar vendido,
sueño descuartizado,
duro mapa de azúcar y de olvido...
¿Dónde, fino venado,
de bosque en bosque y bosque perseguido,
bosque hallarás en que lamer la sangre
de tu abierto costado?
Al abismo colérico
de tu incansable pecho acantilado

me asomo, y siento el lúgubre
latir del agua insomne;
siento cada latido
como de un mar en diástole,
como de un mar en sístole,
como de un mar concéntrico,
de un mar como en sí mismo derramado.
Lo saben ya, lo han visto
las mulatas con hombros de caoba,
las guitarras con vientre de mulata;
lo repiten, lo han visto
las noches en el puerto,
donde bajo un gran cielo de hojalata
flota un velero muerto.
Lo saben el tambor y el cocodrilo,
los chóferes, el Vista
de la Aduana, el turista
de asombro militante;

lo aprendió la botella
en cuyo fondo se ahoga una estrella;
lo aprendieron, lo han visto
la calle con un niño de cien años,
el ron, el bar, la rosa, el marinero
y la mujer que pasa de repente,
en el pecho clavado
un puñal de aguardiente.

Cuba, tu caña miro
gemir, crecer ansiosa,
larga, larga, como un largo suspiro.
Medio a medio del aire
el humo amargo de tu incendio aspiro;
allí su cuerno erigen,
deshaciéndose en mínimos relámpagos
pequeños diablos que convoca y cita
la Ambición con su trompa innumerable.

Allí su negra pólvora vistiendo
el joven de cobarde dinamita
que asesina sonriendo,
y el cacique tonante, breve Júpiter,
mandarín bien mandado,
que estalla de improviso, sube, sube
y cuando más destella,
maromero en la punta de una nube,
¡ay! también de improviso baja, baja
y en la roca se estrella,
cadáver sin discurso ni mortaja.
Allí el tragón avaro,
uña y pezuña a fondo en la carroña,
y el general de charretera y moña
que el Olimpo trepó sin un disparo,
y el doctor de musgosa calavera,
siempre de espaldas a la primavera…

Afuera está el vecino.
Tiene el teléfono y el submarino.
Tiene una flota bárbara, una flota
bárbara... Tiene una montaña de oro
y un mirador y un coro
de águilas y una nube de soldados
ciegos, sordos, armados
por el miedo y el odio. (Sus banderas
empastadas en sangre, un fisiológico
hedor esparcen que demora el vuelo
de las moscas. Afuera está el vecino,
rodeado de fieras
nocturnas, enviando embajadores,
carne de buey en latas, pugilistas,
convoyes, balas, tuercas, armadores,
efebos onanistas,
ruedas para centrales, chimeneas
con humo ya, zapatos de piel dura,

chicle, tabaco rubio, gasolina,
ciclones, cambios de temperatura,
y también desde luego,
tropas de infantería de marina,
porque es útil (a veces) hacer fuego…
¿Qué más, qué más? El campo roto y ciego
vomitando sus sombras al camino
bajo la fusta de los mayorales,
y la ciudad caída, sin destino,
de smoking en el club, o sumergida,
lenta, viscosa, en fiebres y hospitales,
donde mueren soñando con la vida
gentes ya de proyectos animales…

¿Y nada más? —preguntan
gargantas y gargantas que se juntan.
Ahí está Juan Descalzo. Todavía
su noche espera el día.

Ahí está Juan Montuno,
en la bandurria el vegetal suspiro,
múltiple el canto y uno.
Está Juan Negro, hermano
de Juan Blanco, los dos la misma mano.
Está, quiero decir, Juan Pueblo, sangre
nuestra diseminada y numerosa:
estoy yo con mi canto,
estás tú con tu rosa
y tú con tu sonrisa
y tú con tu mirada
y hasta tú con tu llanto
de punta —cada lágrima una espada.
Habla Juan Pueblo, dice:
—Alto Martí, tu estrella azul enciende.
Tu lengua principal corte la bruma.

El fuego sacro en la montaña prende.
Habla Juan Pueblo, dice:

—Maceo de metal, machete amigo,
rayo, campana, espejo,
herido vas, tu rojo rastro sigo.
Otra vez Peralejo
bien pudiera marcar con dura llama
no la piel del león domado y viejo,
sino el ala del pájaro sangriento
que desde el alto Norte desparrama
muerte, gusano y muerte, cruz y muerte,
lágrima y muerte, muerte y sepultura,
muerte y microbio, muerte y bayoneta,
muerte y estribo, muerte y herradura,
muerte de arma secreta,
muerte del muerto herido solitario,
muerte del joven de verde corona,
muerte del inocente campanario;
muerte previa, prevista,
ensayada en Las Vegas,

con aviones a chorro y bombas ciegas.
Habla Juan Pueblo, dice:
—A mitad del camino,
¡ay! sólo ayer la marcha se detuvo;
siniestro golpe a derribarnos vino,
golpe siniestro el ímpetu contuvo.
Mas el hijo, que apenas
supo del padre el nombre al mármol hecho,
si heredó las cadenas,
también del padre el corazón metálico
trajo con él: le brilla
como una flor de bronce sobre el pecho.
Solar y coronado
de vengativas rosas,
de su fulgor armado,
la vieja marcha el héroe niño emprende:
en foso, almena, muro,
el hierro marca, ofende

y en la noche reparte el fuego puro...
Brilla Maceo en su cenit seguro.
Alto Martí su azul estrella enciende.

Nicolás Guillén con Ana Belén y Victor Manuel.

ÍNDICE

91

TÍTULOS PUBLICADOS